A Kalmus Classic Edition

Anton

BRUCKNER

REQUIEM IN D MINOR

for Soli, Chorus and Orchestra

VOCAL SCORE

K 06085

REQUIEM

in d moll

Anton Bruckner

PRINTED IN U.S.A.

20
bi red-de-tur vo-tum in Je-ru-sa-lem, et ti-bi red-de-tur vo-tum in Je-ru-sa-
Pos.
B
lem, ex-au-di o-ra-ti-o-nem me-am, ex-au-di o-ra-ti-o-nem
lem, ex-au-di o-ra-ti-o-nem me-am, ex-au-di o-ra-ti-
lem, ex-au-di, ex-au-di, ex-au-di, ex-au-di o-ra-ti-o-nem
lem, ex-au-di o-ra-ti-o-nem me-am, ex-au-di o-ra-ti-o-nem
Pos.
30
me-am, ad te, ad te, ad te omnis ca-ro ve-ni-et, ad te, ad
o-nem me-am, ad te, ad te, ad te om-nis ca-ro ve-ni-et, ad te, ad
me-am, ad te, ad te, ad te om-nis ca-ro ve-ni-et, ad te, ad
me-am, ad te, ad te, ad te om-nis ca-ro ve-ni-et, ad te, ad

C
te, ad te omnis caro, caro veniet. Requiem ae-
te, ad te omnis caro, caro veniet. Requiem ae-
te, ad te omnis caro veniet. Requiem ae-
te, a te omnis caro, caro veniet. Requiem ae-
Pos.
ternam dona eis Domine, et lux perpetu-
ternam dona eis Domine, et lux perpetu-
ternam dona eis Domine, et lux perpetu-
ternam dona eis Domine, et lux perpetu-
Pos.
40
a luceat, luceat, luceat, luceat, luceat, luceat e-
a luceat, luceat, luceat, luceat, luceat, luceat e-
a luceat, luceat, luceat, luceat, luceat, luceat e-
a luceat, luceat, luceat, luceat, luceat, luceat e-
Pos.

D
50
is.
Ky - ri-e e - le - i-son,
Chri - ste e - lei - son,
Kyrie e - le - i-son,
Chri - ste e - le - i-son,
Ky - ri-e e - le - i-son,
Ky - ri-e e - lei - son, e - lei - son.
Pos.
p
sf
f

DIES IRAE

A Allegro
Di - es i - rae,
di - es il - la
sol - vet saec - lum in fa - vil - la,
te - ste Da - vid cum Sy - bil - la.
Allegro
Str.
Pos.
10

B
Quan - tus tre - mor est fu - tu - rus, quan - do ju - dex est ven - tu - rus,
cunc - ta stric - te dis - cus - su - rus.
20

30
p
Tu-ba mi - - - - - rum spar-gens so - - - - - num
Tu-ba mi - - - - - rum spar-gens so - - - - - num
Tu - - - ba mi - - - - rum spar - - gens so - - - - - num
ff
per se - pul - - - - cra re - - - - gi - - o - - - - num
Pos.
co - get om - - - nes an - - - te thro - num,
40
sfz

C
an - te thro - num.
p Solo
Mors stu - pe - bit et na - tu - ra,
p
p
50
cum re - sur - get cre - a - tu - ra ju - di - can - ti,
f
f
ju - di - can - ti res - pon - su - ra, res - pon - su - ra,

60
D
res- - - - pon - su - ra.
Solo
Li - ber scri - ptus pro - fe - re - tur,
70
in quo to - tum con - ti - ne - tur, un - de mun - dus ju - di -
Recitativ
Etwas langsamer
80
ce - tur. Ju - dex er - go cum se - de - bit, quid quid la - tet ap - pa - re - bit,
Etwas langsamer

Tempo I
nil in - ul - tum re - ma - ne - bit, nil in - ul - tum re - ma - ne - bit.
Tempo I
90
E
p Solo
Quid sum mi - ser tunc dic - tu - rus, quem pa - tro - num
ro - ga - tu - rus, cum vix ju - stus sit se - cu - rus?
100
Pos.

Tutti
Rex tre - men - dae ma - je -
sta - tis,
qui sal - van - dos sal - vas
gra - tis, sal - va me fons pi - e - ta - tis.
110

G
Re- - cor - da - - re Je - - su pi - e,
Re- - cor - da - - re Je - - su pi - e,
Re- - cor - da - - re Je - - su pi - e,
Re- - cor - da - - re Je - - su pi - e,
Pos.
120
quod sum cau - - sa tu - - ae vi - ae,
quod sum cau - - sa tu - - ae vi - ae,
quod sum cau - - sa tu - - ae vi - ae,
quod sum cau - - sa tu - - ae vi - ae,
ne me per - - das il - la di - - e,
ne me per - - das il - la di - - e,
ne me per - - das il - la di - - e,
ne me per - - das il - la di - - e.
Pos.

130
il- - - la di - e.
Quae - rens me
1.u.2. Pos.
3. Pos.
sedi - sti las - sus, re - de - mi - - - sti
re-de- mi - - - sti
140
cru - cem pas - - - sus,
crucem pas - - - sus,
tan - tus, tan - - - tus la - - - bor

H
non sit cas - - - - - sus.
non sit cas - - - - - sus.
non sit cas - - - - - sus.
p Solo
non sit cas - - - - - sus. Jus - te ju - dex
150
ul - ti - o - nis, do - num fac re - mis - - si - o - nis
p
160
an - te di - - em ra - - ti - o - nis. In - ge - mis - co tam - quam
p

re - us, cul-pa ru - bet vul-tus me - us, sup - pli - can - ti par-ce de -
p sfz p sfz
170
J p Solo
Qui Ma - ri - am ab - sol -
p Solo
Qui Ma - ri - am ab - sol -
us.
f p
vi - sti et la - tro-nem ex-au - di - sti, mi-hi quo-que
vi - sti et la - tro-nem ex-au - di - sti, mi-hi
180

spem de - di - sti. Prae - ces me - ae non sunt di - gnae, sed tu
quo - que spem de - di - sti. Prae-ces me - ae non sunt di - gnae, sed tu
sfz
190
bo - nus fac be - ni - gne, ne per - en - ni cre - mer
bo - nus fac be - ni - gne, ne per - en - ni cre - mer
sfz
sfz
sfz
K
f Tutti
i - gne! In - ter o - ves lo - cum
f Tutti
i - gne! In - ter o - ves lo - cum
f Tutti
In - ter o - ves lo - cum
f Tutti
In - ter o - ves lo - cum
f

200
prae - sta et ab hoe - dis me se -
prae - sta et ab hoe - dis me se -
prae - sta et ab hoe - dis me se -
prae - sta et ab hoe - dis me se -
que - stra, sta - tu - ens in par - te
que - stra, sta - tu - ens in par - te
que - stra, sta - tu - ens in par - te
que - stra, sta - tu - ens in par - te
L
210
ff
dex - tra. Con - fu - ta - tis ma - le - dic - tis,
dex - tra. Con - fu - ta - tis ma - le - dic - tis,
dex - tra. Con - fu - ta - tis ma - le - dic - tis,
dex - tra. Con - fu - ta - tis ma - le - dic - tis,
Pos.

flam - mis a - cri-bus ad - dic - tis, vo - ca me cum
flam - mis a - cri-bus ad - dic - tis, vo - ca me cum
flam - mis a - cri-bus ad - dic - tis, vo - ca me cum
flam - mis a - cri-bus ad - dic - tis, vo - ca me cum
220
be - ne - dic - tis!
be - ne - dic - tis!
be - ne - dic - tis!
be - ne - dic - tis!
M
et ac - cli - nis, cor con - tri -
O - ro sup - plex et ac - cli - nis, cor con - tri - tum
cor con - tri - tum

230
mf
f
p
tum. ge-re cu-ram me-i fi-
quasi ci-nis, me-i fi-nis,
quasi ci-nis, ge-re cu-ram me-i fi-nis,
quasi ci-nis, ge-re cu-ram me-i fi-nis,
N
ff
Pos.
nis! La-cri-mo-sa di-es il-la, qua re-sur-get ex fa-
me-i fi-nis! La-cri-mo-sa di-es il-la, qua re-sur-get ex fa-
me-i fi-nis! La-cri-mo-sa di-es il-la, qua re-sur-get ex fa-
me-i fi-nis! La-cri-mo-sa di-es il-la, qua re-sur-get ex fa-
240
vil-la ju-di-can-dus ho-mo re-us.
vil-la ju-di-can-dus ho-mo re-us.
vil-la ju-di-can-dus ho-mo re-us.
vil-la ju-di-can-dus ho-mo re-us.

O
Hu - ic er - go par - ce
Hu - ic er - go par - ce
Hu - ic er - go par - ce
Hu - ic er - go par - ce
250
P ritard.
De - us, pi - e Je - su, Je - su Do - mi - ne!
De - us, pi - e Je - su, Je - su Do - mi - ne! Do - na
De - us, pi - e Je - su, Je - su Do - mi - ne!
De - us, pi - e Je - su, Je - su Do - mi - ne! Do - na
ritard.
260
Do - na e - is re - qui - em! A - men.
e - is, do - na e - is re - qui - em! A - men.
Do - na e - is re - qui - em! A - men.
e - is, do - na e - is re - qui - em! A - men.
Pos.

DOMINE

A
Andante
p Solo
Do- - -mi-ne Je- - su, Je- - su Chri- - ste, Rex
Andante
p
glo- -ri-ae, Rex glo- -ri-ae, li- -be-ra a- -ni- mas om- -ni-um fi- -
10
de- li- -um de-func-to- -rum de poe- -nis in- fer- -ni et de pro- fun- do

B
20
f Chor
Do - mi-ne Je - su, Je - su
la - cu.
Chri - ste Rex glo - ri-ae, Rex glo - ri-ae, li - be-ra
a - ni-mas om - ni-um fi - de-li-um defunc-to - rum de poe - nis in -
sfz
p
f
30
Pos.

C
mf
fer- - ni et de pro- fun- do la- - - - cu! Li- - - be-ra
fer- - ni et de pro- fun- do la- - - - cu! Li- - - be-ra
fer- - ni et de pro- fun- do la- - - - cu! Li- - - be-ra
fer- - ni et de pro- fun- do la- - - - cu! Li- - - be-ra
40
f
ff
e- - as de o- - re le- - o- nis, ne ab- sor- be-at e- - as Tar- tarus, ne
e- - as de o- - re le- - o- nis, ne ab- sor- be-at e- - as Tar- tarus,
e- - as de o- - re le- - o- nis, ne ab- sor- be-at e- - as Tar- tarus, ne
e- - as de o- - re le- - o- nis, ne ab- sor- be-at e- - as Tar- tarus,
Pos.
ca- dant in ob- scu-rum, ne ca- dant in ob- scu-rum, ob- scu- - - rum
ne ca- dant in ob- scu-rum, ne ca- dant in ob- scu-rum, ne ca- dant in ob-
ca- dant in ob- scu-rum, ne ca- dant in ob- scu-rum, ne ca- dant in ob- scu-rum, ne
ne ca- dant in ob- scu-rum, ne ca- dant in ob- scu- - - rum, ne ca- dant

50
D
p Solo
in ob - scu - rum. Sed sig - ni - fer sanc - tus, sanc - tus Mi - chael
scu - rum, ob - scu - rum.
ca - dant in ob - scu - rum.
in ob - scu - rum.
p
re - prae - sen - det e - as in lu - cem sanctam,
60
f Chor
quam o - lim A - brahae pro - mi -
quam o - lim A - bra - hae pro - mi -
Pos.
f
si - sti et se - mi - ni, et se - mi - ni, se - mi - ni e - jus.
Pos.
attacca

HOSTIAS

Adagio
Tenor I
Tenor II
Baß I
Baß II
PIANO
Pos.
Ho-sti-as et pre-ces, pre - ces ti - bi, Do-mi-ne, Do-mi-ne, lau-dis of - fe-ri-mus. Tu, tu
sus-ci-pe pro a-ni-ma-bus il-lis, qua-rum ho-di-e me-mo-ri-am fa-ci-mus, fac e-as Do-mi-ne, de mor-te, de
mf espr.
10
mor - - te, de mor-te, de mor-te, de mor-te trans - i - re ad vi - - - tam.
de mor-te, de mor-te, mor-te trans - i - re ad vi - - - tam.
espr.
mor - - te, de mor-te, de mor - te, de mor-te, mor-te trans - i - re ad vi - - - tam.
rit.
attacca

QUAM OLIM

A
Con spirito
Quam o - lim A - bra - hae pro -
A - bra - hae,
Quam o - lim A - bra - hae pro -
Con spirito
Str.
Pos.
10
Quam o - lim A - bra - hae
- mi - si - sti, A - bra - hae,
quam o - lim A - bra - hae
- mi - si - sti,
B
pro - mi - si - sti, pro - mi - si - sti,
quam
pro - mi - si - sti, pro - mi - si - sti,
quam

20
pro - mi - si - - - sti,
o - lim A - - bra - hae pro - - - - - - mi -
o - lim A - - bra - hae pro - - - - - - - mi -
quam o - lim A - - bra - hae pro - - -
si - sti, pro -
quam o - lim A - - bra - hae pro - - -
si - sti, A - bra - hae,
C
30
- mi - si - sti, pro - mi - si - sti,
- - mi - si - - - - - sti, quam o - lim
- mi - si - sti, pro - - mi - si - sti, quam o - - lim
quam o - lim
Pos.

pro - mi -
A - - bra - hae
pro - - - - - - - mi -
A - bra - hae,
A - - bra - hae
pro - - - - mi - si - sti,
40
si - - - sti,
pro - mi - si - sti,
si - - - - - - sti,
pro - mi -
si - - - - sti,
quam
o - lim
pro - - - - - mi - si - sti, quam o - lim
pro - mi - si - sti,
pro - mi - si - - - - sti, pro -
A - - bra - hae
pro - - - - mi - si - sti.
A - - bra - hae
pro - - - - - - - mi - si - - - -

D
50
- mi - si - sti,
quam o - lim A - bra - hae pro - - -
quam o - lim A - bra - hae pro - - -
- - - - sti, A - bra - hae pro -
quam o - lim A - bra - hae pro - mi -
- mi - si - sti, quam o - lim A - bra - hae
- mi - si - sti, quam o - lim A - bra -
- mi - si - sti, quam o - lim A - bra - hae, A - bra -
60
si - - - sti, pro - mi - si - sti, pro - mi - si -
pro - mi - si - - - - sti, pro - mi - si - - -
hae pro - mi - si - sti, pro - mi - si -
hae pro - mi - si - - sti, pro - mi - si - sti,

E più forte
sti, quam o - lim A - bra - hae,
sti, quam o - lim A - - bra hae, quam
sti, quam o - lim A - bra - hae, A - bra - hae, quam
quam o - lim A - - bra - hae, quam
Pos.
70
quam o - lim A - bra - hae, quam o - lim
o - lim A - - bra - hae, quam o - lim
o - lim A - bra - hae, A - bra - hae, quam o - lim
o - lim A - - bra - hae, quam o - lim
pro - -
A - bra - hae pro - - mi - si - sti,
A - bra - hae pro - - - - - mi - si - - - -
A - bra - hae pro - - - - - mi - si - sti,

80
mi - si - sti, pro - mi - si - sti,
pro - mi - si - sti, pro -
sti, pro - mi - si - sti,
pro - mi - si - sti, pro -
Pos.
F
90
pro - mi - si - sti, quam o - lim
mi - si - sti, quam o - lim A - bra - hae pro -
quam o - lim A - bra - hae pro -
mi - si - sti, quam o - lim A - bra - hae pro - mi -
A - bra - hae pro - mi - si - sti,
mi - si - sti, quam o - lim, quam o - lim,
mi - si - sti, pro - mi - si - sti,
si - sti, quam o - lim A - bra - hae pro -

100
quam o - lim A - - - bra - hae pro - mi - si - sti,
quam o - lim A - bra - hae pro - mi -
quam o - lim A - bra-hae pro - mi - si -
- mi - si - sti, quam o - lim
Pos.
rit.
pro - mi - si - sti, pro - mi - si - - sti,
si - sti, pro - mi - si - sti, pro - mi - si - - sti,
sti, pro - mi - si - sti, pro - mi - si - sti, pro - mi - si - - sti,
pro - mi - si - sti, pro - mi - si - sti, pro - mi - si - - sti,
rit.
G 110 a tempo
ff
quam o - lim A - bra - hae pro - mi -
quam o - - lim A - - bra - hae pro - mi -
quam o - lim A - bra -
quam o - - lim
a tempo
ff

120
si - sti et se - mi - ni, et se - mi - ni e - - -
si - sti et se - - mi - ni e - jus, et se - - - mi - ni
hae pro - - mi - si - sti et se - mi - ni e - - -
et se - - - - - mi - - ni e - - -
H
- - jus, et se - - mi - ni e - - -
e - - - jus, et se - - - -
jus, et se - - mi - - ni,
jus, et se - - - mi - ni e - - -
ritard.
130
jus, se - - mi - ni e - - - jus.
mi ni e - - jus, et se - mi - ni e - - jus.
et se - - mi - - ni e - - jus.
jus, et se - - - mi - ni e - - jus.
fff
ritard.

SANCTUS

Andante (Adagio)
Sopran I II
Alt
Tenor
Baß
PIANO
Sanc - tus, Sanc - - tus, Sanc-tus
Sanc - tus, Sanc - - tus, Sanc-tus
Sanc - - tus,
Sanc - - tus,
Do - mi - nus De - us Sa - - ba - oth! Ple - ni sunt
Do - mi - nus De - us Sa - - ba - oth! Ple - ni sunt
Sanc - tus Do - mi - nus De - us Sa - - ba - oth! Ple - ni sunt
Sanc - tus Do - mi - nus De - us Sa - - ba - oth! Ple - ni sunt
Pos.
coe - li et ter - - ra glo - ri - a, glo - ri - a tu -
coe - li et ter - - ra glo - ri - a, glo - ri - a tu -
coe - li et ter - - ra glo - ri - a, glo - ri - a tu -
coe - li et ter - - ra glo - ri - a, glo - ri - a tu -
Pos.

10
in ex - cel - - sis,
a. O - san - - na in ex - cel - - - sis, O - san - na in ex -
a. O - san - na in ex - cel - - sis, O - san - na in ex -
a. O - san - na in ex -
a. O - san - na in ex -
Pos.
cel - - sis, O - san - - na in ex - cel - sis, O -
cel - - sis, O - san - - na in ex - cel - sis, O -
cel - - sis, O - san - - na in ex - cel - - sis, O -
cel - - sis, O - san - - na in ex - cel - - sis, O -
san - na in ex - cel - sis, in ex - cel - - sis, in ex - cel - sis.
san - na in ex - cel - sis, in ex - cel - - sis, in ex - cel - sis.
san - na in ex - cel - sis, in ex - cel - - sis, in ex - cel - sis.
san - na in ex - cel - sis, in ex - cel - - sis, in ex - cel - sis.
Pos.

BENEDICTUS

A Andante
Sopran
Alt
Tenor
Baß
Andante
PIANO
p
Horn
Horn
Pos.
10 B
Solo
Solo
Solo
Solo
p
in
Be - ne - dic - tus, qui ve - nit in no - mi - ne Do - mi - ni.

no - mi - ne, no - mi - ne Do - - - - mi ni.
Chor
Be - ne - dic - tus, qui
Chor
Be - ne - dic - tus, qui
Chor
Be - ne - dic - tus, qui
Chor
in no - mi-ne, no - mi-ne, no - mi - ne Do - mi - ni, in
ve - nit, qui ve - nit in no - mi-ne, no - mi-ne, no - mi - ne Do - mi - ni, in
ve - nit, qui ve - nit in no mi-ne, no - mi-ne, no - mi - ne Do - mi - ni, be - ne - dic - tus, in
ve - nit, qui ve - nit in no - mi-ne, no - mi-ne, no - mi - ne Do - mi - ni, be - ne - dic - tus, in
20
C
no - mi - ne Do - mi - ni, in no - mi - ne Do - mi - ni.
no - mi - ne Do - mi - ni, in no - mi - ne Do - mi - ni.
no - mi - ne Do - mi - ni, be - ne - dic - tus, in no - mi - ne Do - mi - ni.
no - mi - ne Do - mi - ni, be - ne - dic - tus, in no - mi - ne Do - mi - ni.

Horn
Pos.
30
Be - ne-dic-tus, qui ve-nit, qui ve-nit in no - mi-ne, no-mi-ne
Pos.
Do - mi-ni.
p Solo
Be - ne -
Do - mi - ni,
in no - mi - ne Do - mi - ni.

dic - tus, qui ve - nit, qui ve - nit in no - mi - ne Do - mi - ni,
Solo
Be - ne -
Solo
Do - mi - ni,
Solo
Be - ne -
Chorus
40
qui ve - nit in no - mi - ne Do - mi - ni,
cresc.
dic - tus, qui ve - nit in no - mi - ne Do - mi - ni, be - ne -
qui ve - nit in no - mi - ne Do - mi - ni, be - ne -
dic - tus, qui ve - nit in no - mi - ne Do - mi - ni, be - ne -
Pos.
E
be - ne - dic - tus, qui ve - nit,
dic - tus, qui ve - nit, qui ve - nit
dic - tus, qui ve - nit, be - ne - dic - tus, qui ve - nit, qui ve - nit, be - ne -
dic - tus, qui ve - nit, be - ne - dic - tus, qui ve - nit, qui ve - nit

be - ne - dic - tus, qui ve - nit
in nomine
no - mi - ne, in no - mi - ne
dic - tus, qui ve - nit
in
no - mi - ne, no - mi - ne, no - mi - ne
in no - mi - ne
50
Do - mi - ni, in
no - mi - ne Do - mi - ni, in
Pos.
Horn
no - mi - ne, no - mi - ne
Do - mi - ni.
ruhig
Pos.

F
60
pp Tutti
O - san - na in ex - cel - sis, O - san - na in ex - cel - sis.
ppp
pp Tutti
O - san - na in ex - cel - sis, O - san - na in ex - cel - sis.
ppp
pp Tutti
O - san - na in ex - cel - sis, O - san - na in ex - cel - sis.
ppp
pp Tutti
O - san - na in ex - cel - sis, O - san - na in ex - cel - sis.
ppp
Pos.
Horn
AGNUS DEI
A
Adagio
p Solo
Ag - nus De - i, ag - nus De - i, qui
Adagio
p
tol - lis pec - ca - ta, pec - ca - ta mun - di,

p Tutti
do - na e - is re - qui - em!
p Tutti
do - na e - is re - qui - em!
p Tutti
do - na e - is re - qui - em!
p Tutti
do - na e - is re - qui - em!
B
Solo
Ag - nus De - i, ag - nus De - i, qui
10
tol - lis pec - ca - ta, qui tol - lis pec - ca - ta mun -

Tutti
do - na e - is re - qui -
Tutti
do - na e - is re - qui -
di,
Tutti
do - na e - is re - qui -
Tutti
do - na e - is re - qui -
C
em!
em!
em!
Solo
em! Ag - nus de - i, ag - nus
de - i, qui tol - lis pec - ca - ta, pec - ca - ta mun -

f Tutti
do - - - - na e - - is, do - - - na
di,
f
20
re - qui-em, do - - na
re - qui-em sem - pi - ter - - nam!
D ff
Lux, lux,
Pos.
ff

lux aeter - - na, lux aeter - - na
lux aeter - - na, lux aeter - - na
lux aeter - - na, lux aeter - - na
lux aeter - - na, lux aeter - - na
lu - ceat e - - is, Do - mine, Do - - - mine, cum sanc - tis
lu - ceat e - - is, Do - mine, Do - - - mine, cum sanc - tis
lu - ceat e - - is, Do - mine, Do - - - mine, cum
lu - ceat e - - is, Do - mine, Do - - - mine,
Pos.
30
tu - is in ae - ter - - - - num, qui - a pi - us es!
tu - is in ae - ter - - - num, qui - a, qui - a pi - us es!
sanc - tis tu - is in ae - ter - - num, qui - a, qui - a pi - us es!
cum sanc - tis tu - is in ae - ter - num, qui - a pi - us es!

REQUIEM

CUM SANCTIS

10
pi - us es, cum sanc - tis tu - is in ae - ter - num, cum
pi - us es, cum sanc - tis tu - is in ae - ter - num, cum
pi - us es, cum sanc - tis tu - is in ae - ter - num, cum
pi - us es, cum sanc - tis tu - is in ae - ter - num, cum
Pos.
20
ff
sanc - tis tu - is in ae - ter - num, cum sanc - tis
sanc - tis tu - is in ae - ter - num, cum sanc - tis
sanc - tis tu - is in ae - ter - num, cum sanc - tis
sanc - tis tu - is in ae - ter - num, cum sanc - tis
Pos.
ff
30
Adagio
tu - is in ae - ter - num qui - a, qui - a pi - us es, pi - us es.
tu - is in ae - ter - num qui - a, qui - a pi - us es, pi - us es.
tu - is in ae - ter - num qui - a, qui - a pi - us es, pi - us es.
tu - is in ae - ter - num qui - a, qui - a pi - us es, pi - us es.
Pos.
Adagio